DERIB + JOB

YAKARI

CHEZ LES CASTORS

Couleurs: DOMINIQUE

LE LOMBARD
LA BD DES 7 A 77 ANS

D/2006/0086/112
ISBN 2-80362-121-5

Dépôt légal : octobre 2006
Imprimé en France par *Partenaires Book*® (JL)

LES EDITIONS DU LOMBARD
7, AVENUE PAUL-HENRI SPAAK - 1060 BRUXELLES - BELGIQUE

www.lelombard.com
l'internet des 7 à 77 ans

YAKARI
CHEZ LES CASTORS
DERIB + JOB
CET ÉTÉ-LÀ, LE CAMP SIOUX VENAIT DE S'INSTALLER...
RATÉ !
À MOI !
VAS-Y...
?
... MOI, JE TIRERAI EN DERNIER !
20 VI 7.

AUSSI RATÉ ! À MOI MAINTENANT !
ON DIRAIT UNE FLEUR QUI A DES AILES, QUAND TU VOLES !...

TAK
C'EST BON, LES FLEURS ?
UN VRAI NECTAR !
BRAVO, GRAINE-DE-BISON ! TU ES VRAIMENT LE PLUS FORT !!
KLAP
KLAP

...OUI, MAIS ON VERRA QUI SERA LE PREMIER À LA COURSE À PIED !
TU T'ENVOLES DÉJÀ, PETITE FLEUR ?
L'ÉTÉ EST COURT POUR LES PAPILLONS, TU SAIS ...

YAKARI !
?

J'AIMERAIS BIEN ALLER ME BAIGNER !
TU AS RAISON, PETIT TONNERRE. IL FAIT TROP CHAUD POUR FAIRE UNE COURSE !
LA RIVIÈRE !

NE BOUGE PLUS !

MAIS... OÙ EST-IL ?

JE NE LE VOIS/ PLUS ....

AÏ!
?

HA! HA! HA!

ELLE EST BONNE, HEIN, PETIT TONNERRE ?

EXCELLENTE, YAKARI !
?

I ON REMONTAIT
UN BOUT LA
RIVIÈRE ?
D'ACCORD !
COMME
C'EST !
BEAU !
LÀ-BAS,
ON PEUT
RETRAVERSER
À GUÉ !
HÉ ! VOUS DEUX ! NE VOUS GÊNEZ PAS !!
?

CASSEURS ! DÉMOLISSEURS ! C'EST COMME ÇA QUE VOUS RESPECTEZ LE TRAVAIL DES AUTRES ?
?!
OUSTE ! NE RESTEZ PAS LÀ, SACCAGEURS !

DÉVASTATEURS !
QUE SE PASSE-T-IL, MILLE-GUEULES ?

REGARDE CE QUADRUPÈDE À CRINIÈRE ET CE BIPÈDE À UNE PLUME, DIGUE-DE-BOIS ! ILS ANÉANTISSENT TON OEUVRE !

VOYONS... VOYONS... MILLE-GUEULES, CE N'EST PAS SI GRAVE QUE ÇA...

JE VOIS QUE VOUS N'AVEZ PAS L'AIR D'ÊTRE AU COURANT... SI J'OSE DIRE !
HIHI !

JE VAIS VOUS EXPLIQUER... NOUS SOMMES UNE TRIBU DE CASTORS. NOUS AVONS DÉCIDÉ DE NOUS ÉTABLIR ICI !...
NOUS ALLONS VIVRE ICI.
LÀ, DANS L'EAU ? VOUS VIVEZ DANS L'EAU ?
NOUS CONSTRUISONS UN BARRAGE, SUR LEQUEL VOUS AVEZ MARCHÉ PAR MÉGARDE...
VOILÀ MAINTENANT QUE VOUS BARREZ LA ROUTE AUX TRAVAILLEURS ! DÉGAGEZ ! EN VITESSE !!
ALLEZ-Y, LES GARS !

LE RÊVE DE MA VIE !!
AÏ!

QU'EST-CE QU'IL LUI PREND ?
?

J'AI TOUJOURS RÊVÉ DE MONTER À CHEVAL !...

JE PEUX ?
QUOI DONC ?

MAIS...
POURQUOI PAS, PETIT TONNERRE ?

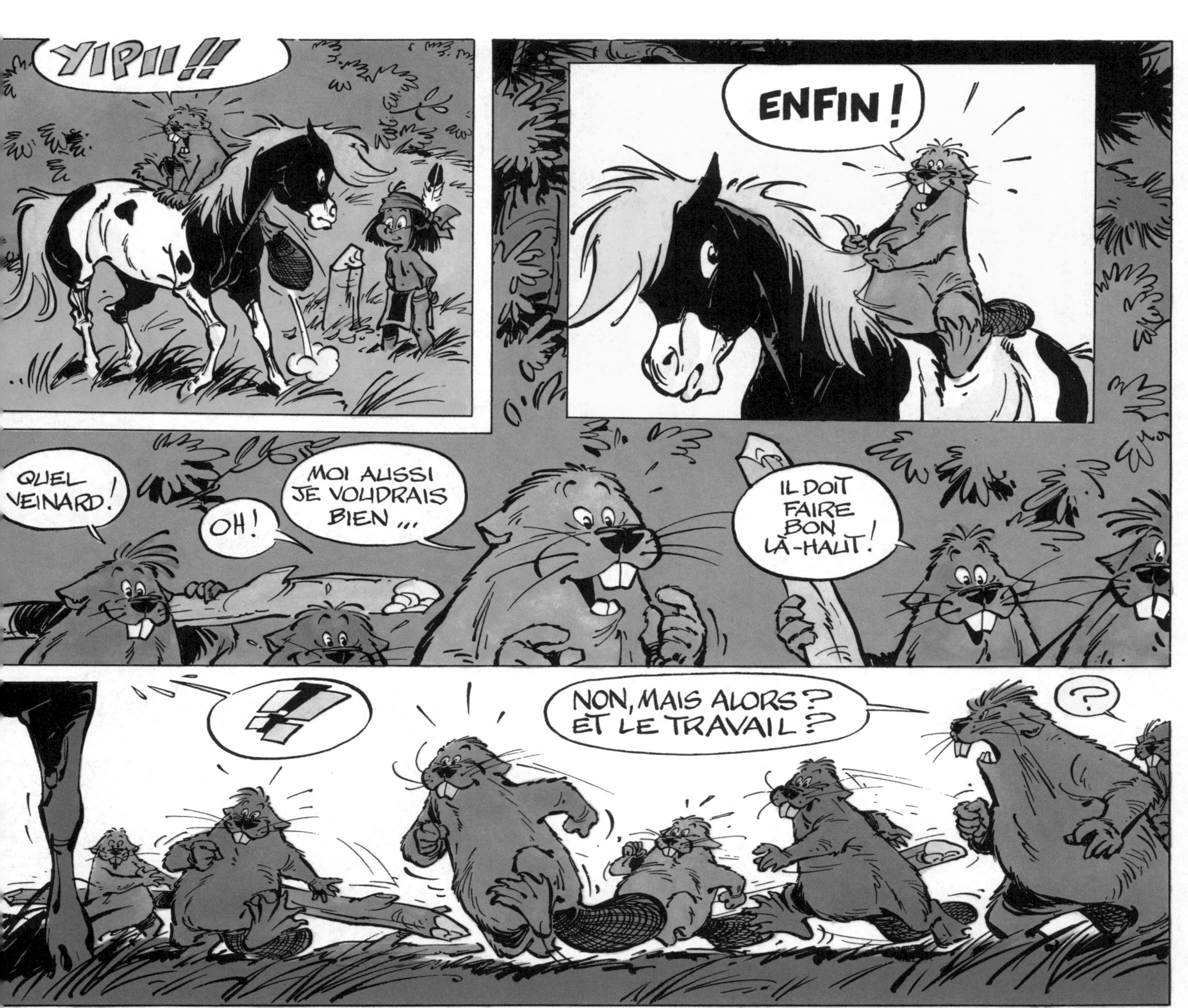
YIPII !!
ENFIN !
QUEL VEINARD !
OH !
MOI AUSSI JE VOUDRAIS BIEN ...
IL DOIT FAIRE BON LÀ-HAUT !
!
NON, MAIS ALORS ? ET LE TRAVAIL ?
?

POUSSE-TOI ! J'ÉTAIS LÀ AVANT TOI !!

ALLEZ HUE !
AH, VOUS VOULEZ FAIRE DU CHEVAL ?
OUI !
NON ... NON ... PETIT TONNERRE !
EH BIEN, ALLONS-Y !!
ET D'UN ! ...
PAF
... ET DE DEUX ...
ATTENTION AU BARRAGE !

LA CHEVAUCHÉE FANTASTIQUE A ASSEZ DURÉ ! AU TRAVAIL, MAINTENANT !!!

... POUR LE COLMATER, NOUS FERONS UN MORTIER AVEC DE LA VASE ET DES FEUILLES MORTES.
QUEL BEL OUVRAGE !
BIENTÔT, DANS L'EAU TRANQUILLE, COMMENCERA LA CONSTRUCTION DE NOS HUTTES.
EST-CE QU'ON POURRA REVENIR ?
OUAIS, SI VOUS VOUS RENDEZ UTILES ET QUE VOUS NE CASSEZ PAS TOUT !

HI HI ! VOUS SEREZ TOUJOURS LES BIENVENUS !
À BIENTÔT !

SYMPATHIQUES, CES CASTORS !...
CERTAINS SONT UN PEU BRUYANTS ...

!??!

COUCOU!

PLOF

HÉ!
!!

COUCOU, ME VOILÀ!

PLOF

COUCOU, ME REVOILÀ!

MOI, C'EST TILLEUL, ET VOUS?

CET ANIMAL ME DONNE LE TOURNIS...
SI TU VEUX QU'ON SE PRÉSENTE, TIENS-TOI TRANQUILLE!

ÇA VOUS VA MIEUX, COMME ÇA?
OUI. MOI, C'EST YAKARI!
... ET MOI, PETIT TONNERRE!

JOLIS NOMS !
LE PLUS TONNERRE DES DEUX N'EST PAS CELUI QU'ON PENSE...
...MA RIVIÈRE !
ALORS ...
...ELLE VOUS PLAIT...

TILLEUL !
IL FAUT QUE J'Y AILLE, MAMAN M'APPELLE !
PAUVRE MÈRE...
REVENEZ PAR ICI, ON S'AMUSE BIEN ENSEMBLE ! SALUT !

VIENS, PETIT TONNERRE, NOUS AUSSI NOUS DEVONS RENTRER ...

AU CAMP, LES JOURS SE SUIVENT ET SE RESSEMBLENT...
TU Y PENSES TOUJOURS, YAKARI ?

OUI, JE PENSE AUX CASTORS... JE ME DEMANDE COMMENT C'EST, LEURS HUTTES ...
ALLONS VOIR !

COUPONS À TRAVERS LA FORÊT. C'EST PEUT-ÊTRE PLUS COURT...

KLAKLAKLAKLAKLAKLAKLAKLAK
?

QUEL DRÔLE DE BRUIT...
KLAKLAK
ÇA VIENT DE LÀ. ALLONS-Y !

BONJOUR !
KLAK...

EUH... BONJOUR... QUEL BON VENT VOUS AMÈNE ?

QU'EST-CE QUE TU FAIS SI LOIN DE LA RIVIÈRE ?
EUH... BEAU TEMPS, PAS VRAI ?
MAIS ... TOUS CES COPEAUX... TU T'ATTAQUES À CE GÉANT ?
CHUT !... CHUT !...
CHUT !... CE SERA MON CHEF-D'OEUVRE ...
TON CHEF-D'OEUVRE ?
CHUT ! JE NE PEUX RIEN DIRE À PERSONNE ! CELA TUERAIT MON INSPIRATION ! ...
EUH... D'AILLEURS, L'HEURE DE LA PAUSE EST PRESQUE PASSÉE... MILLE-GUEULES N'AIME PAS LES RETARDATAIRES !
NOUS TE SUIVONS !

TU NE RESSEMBLES PAS AUX AUTRES CASTORS...

TU TROUVES ? C'EST PEUT-ÊTRE PARCE QUE JE SUIS UN PEU ARTISTE ...

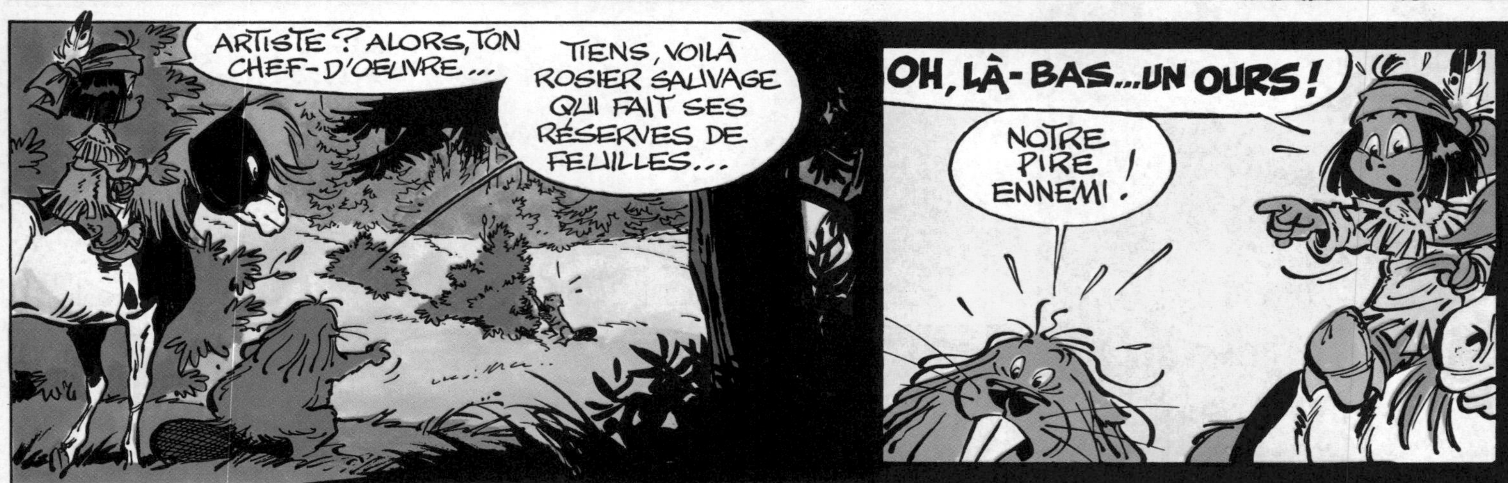
ARTISTE ? ALORS, TON CHEF-D'OEUVRE...
TIENS, VOILÀ ROSIER SAUVAGE QUI FAIT SES RÉSERVES DE FEUILLES...
OH, LÀ-BAS...UN OURS !
NOTRE PIRE ENNEMI !

ROSIER SAUVAGE EST PERDUE
UNE BRANCHE ! IL ME FAUT UNE GROSSE BRANCHE !

?
KLAKLAK
VOILÀ !
!!
EN AVANT, PETIT TONNERRE !

?
SAUVE-TOI, ROSIER SAUVAGE !

GRR...
GRR..
À NOUS DEUX !
UF...
YAA!

ET NE REMETS JAMAIS TES GROSSES PATTES AU PAYS DES CASTORS !
MERCI, MERCI MES PETITS !
BRAVO ! UNE SCÈNE SUPERBE ! À SCULPTER !
PLUS TARD ...
C'EST LE MOMENT, DOUBLE-DENT ! LE TRAVAIL A REPRIS DEPUIS LONGTEMPS !!
QU'EST-CE QUE JE T'AVAIS DIT, YAKARI !
?
ENCORE PLUS TARD...
... ET L'OURS N'A EU QUE LE TEMPS DE DIRE ... UF!....
MON PETIT INDIEN ET SON PONEY ONT ÉTÉ HÉROÏQUES !
JE LE SAVAIS ...

... QU'ILS ÉTAIENT...
...FORMIDABLES !
TILLEUL, TU EXAGÈRES !
TU TROUVES, MAMAN ?
VOUS AVEZ BIEN AVANCÉ...
DANS QUELQUES JOURS, LES HUTTES SERONT HABITABLES ...
EH, VOUS DEUX ! VENEZ UN PEU PAR ICI !
ET TOI AUSSI DOUBLE-DENT !
?

NOUS FAUDRAIT BEAUCOUP DE BOIS D'UN COUP POUR RENFORCER LA DIGUE, LÀ-BAS ...

ZZZRRRZZZ...
?
ENCORE UN ARTISTE ?
CHUT !
OUI, UN DRÔLE D'ARTISTE !

ZZRRZ

C'EST BOIS-DE-LIT, UN VRAI CAS... VOUS ALLEZ VOIR ...

DEBOUT ! RONFLEUR !!

ON...
ON M'A
APPELÉ?

OUI, JE T'AI APPELÉ!
DEBOUT, ROUPILLEUR!

JE NE SAIS PAS
CE QU'IL Y A
AUJOURD'HUI...

...JE ME SENS PARTI-
CULIÈREMENT FA... TI...

...GUÉ...
Z

C'EST
VRAIMENT
UN CAS!...
LAISSONS-LE,
VENEZ!
ZZRRZ

C'EST
ICI...
AU
BOULOT!

KRR
KLAK
KLAK
KLAK
KLAK
KLAK
KLAK
DZZZNNN

ET VOILÀ LE TRAVAIL !
INGÉNIEUX, VOTRE MOYEN DE TRANSPORT !

ZRRZZZRR

ALORS, TU VIENS, DORMEUR ?
AH ? JE DORMAIS ?

BOIS-DE-LIT ! REGARDE LE BOULOT ! C'EST PAS BEAU ?
MAGNIFIQUE !...

...MAGNIFIQUE !
?
!
UN CAS INCURABLE, VOUS DIS-JE !
ZZZ

?!?
EH BIEN, ON N'ARRÊTE PAS LE PROGRÈS
Z

VOUS REVENEZ DEMAIN ?
HI HI !

?
YAKARI !...

J'AIMERAIS VOUS INVITER À DÉGUSTER L'ÉCORCE DE BOULEAU !

MERCI, ROSIER SAUVAGE, NOUS VIENDRONS DEMAIN !
TRÈS BIEN !

DOUBLE-DENT N'EST JAMAIS FATIGUÉ ...
MOI ! SI.
KLAKLAKLAKLAKL
?
TAK
ZZZZZZZZ

AH... C'EST VOUS? JE CROYAIS QUE C'ÉTAIT DU GIBIER...
UN VRAI CHASSEUR OUVRE L'OEIL AVANT DE TENDRE L'ARC!

AU CRÉPUSCULE ON NE DISTINGUE PAS LES CHIENS DES LOUPS...
TU N'AS DE NOUVEAU PAS JOUÉ AVEC NOUS, AUJOURD'HUI!
NOUS AVONS TRA-VAILLÉ À LA RIVIÈRE!

TRAVAILLÉ?

IL FAUT SE DÉPÊCHER DE DORMIR, PETIT TONNERRE. DEMAIN, ON SE LÈVE TÔT!
MOI AUSSI, JE ME LÈVERAI TÔT...

ET LE LENDEMAIN...
TU ES BIEN RÉVEILLÉ ?

ON VA VOIR !

BRAVO, PETIT TONNERRE !
QUE FAIS-TU LÀ, ARC-EN-CIEL ?

JE PEUX ALLER AVEC VOUS?
EUH... EST-À-DIRE... NOUS SOMMES ATTENDUS...

ON L'EMMÈNE ?
POURQUOI PAS?

POURQUOI CUEILLONS-NOUS CES BAIES ?
CE SERA MEILLEUR QUE DE L'ÉCORCE ...
... DE L'ÉCORCE ?
?
NOUS ALLONS BIEN À LA RIVIÈRE ?
MAIS OUI, ARC-EN-CIEL ...

KLAKLAKLAKLAKLAKLAKLAK
?

QU'EST-CE QUE C'EST ?
C'EST DOUBLE-DENT À L'OEUVRE ...
DOUBLE-DENT ?... DE L'ÉCORCE ? JE N'Y COMPRENDS RIEN ! ...
TU VAS COMPRENDRE ... ON ARRIVE ...

YAKARI, C'EST TERRIBLE ! TILLEUL A DISPARU !!
?

TILLEUL N'EST PAS RENTRÉ HIER SOIR ...
D'HABITUDE, IL JOUE PLUS BAS DANS LA RIVIÈRE ...
IL AURA ÉTÉ EMPORTÉ PAR LE COURANT ! ...
RUDE ÉCORCE, SON PÈRE, ET MILLE-GUEULES SONT PARTIS À SA RECHERCHE ...
ON Y VA AUSSI, PETIT TONNERRE ! AU GALOP ! !
MAIS ...
MON PETIT ! MON PAUVRE PETIT !
ALLONS, ALLONS, ROSIER SAUVAGE, AIE CONFIANCE ...

MAIS, QU'EST-CE QUI SE PASSE ?
TILLEUL A DISPARU ! TU N'AS PAS ENTENDU ?
ENTENDU QUOI ?
TOUT CE QU'ILS ONT RACONTÉ, PARDI !
JE COMPRENDS DE MOINS EN MOINS ...
AH, C'EST VRAI TU NE PARLES PAS AVEC LES ANIMAUX, TOI ...

PARCE QUE TOI, TU LEUR PARLES ?
OUI, À TOUS ! MAIS GARDE CE SECRET POUR TOI...
TU EN AS DE LA CHANCE, YAKARI !
C'EST GRÂ À PETIT TONNERRE QUE JE M'E SUIS REND COMPTE...
* VOIR "YAKA ET GRAND AIG
YAKARI... LÀ-BAS... SUR LE ROCHER !
MILLE-GUEULES ET RUDE ÉCORCE !
VOUS NE L'AVEZ PAS VU ?
IL DOIT ÊTRE ENCORE PLUS BAS !

SUR LA RIVE, NOUS IRONS PLUS VITE.
TU ENTENDS CE GRONDEMENT ?
FONCE, PETIT TONNERRE !

PAUVRE TILLEUL ! QUEL PLONGEON IL A DÛ FAIRE...
UNE CHUTE À PIC !

ON NE LE RETROUVERA JAMAIS LÀ-DEDANS...
GRAND AIGLE !!
?
QU'EST-CE QU'IL FAIT LÀ ?
?
SUIVONS-LE ! IL A SÛREMENT QUELQUE CHOSE À NOUS DIRE...
C'EST MON TOTEM, ARC-EN-CIEL. IL SAIT TOUT ...
L'ENFANT DE ROSIER SAUVAGE N'EST PAS PERDU, YAKARI !

AVANT LA CHUTE, LE COURANT L'A ENTRAÎNÉ DANS CE BRAS DE LA RIVIÈRE...

TILLEUL EST VIVANT, TU LE RETROUVERAS SOUS TERRE. COURAGE, YAKARI !

TU NE VAS TOUT DE MÊME PAS PLONGER LÀ-DEDANS !

GRAND AIGLE A DIT QUE C'EST PAR ICI QUE JE RETROUVERAI TILLEUL !...
YAKARI...
NON !

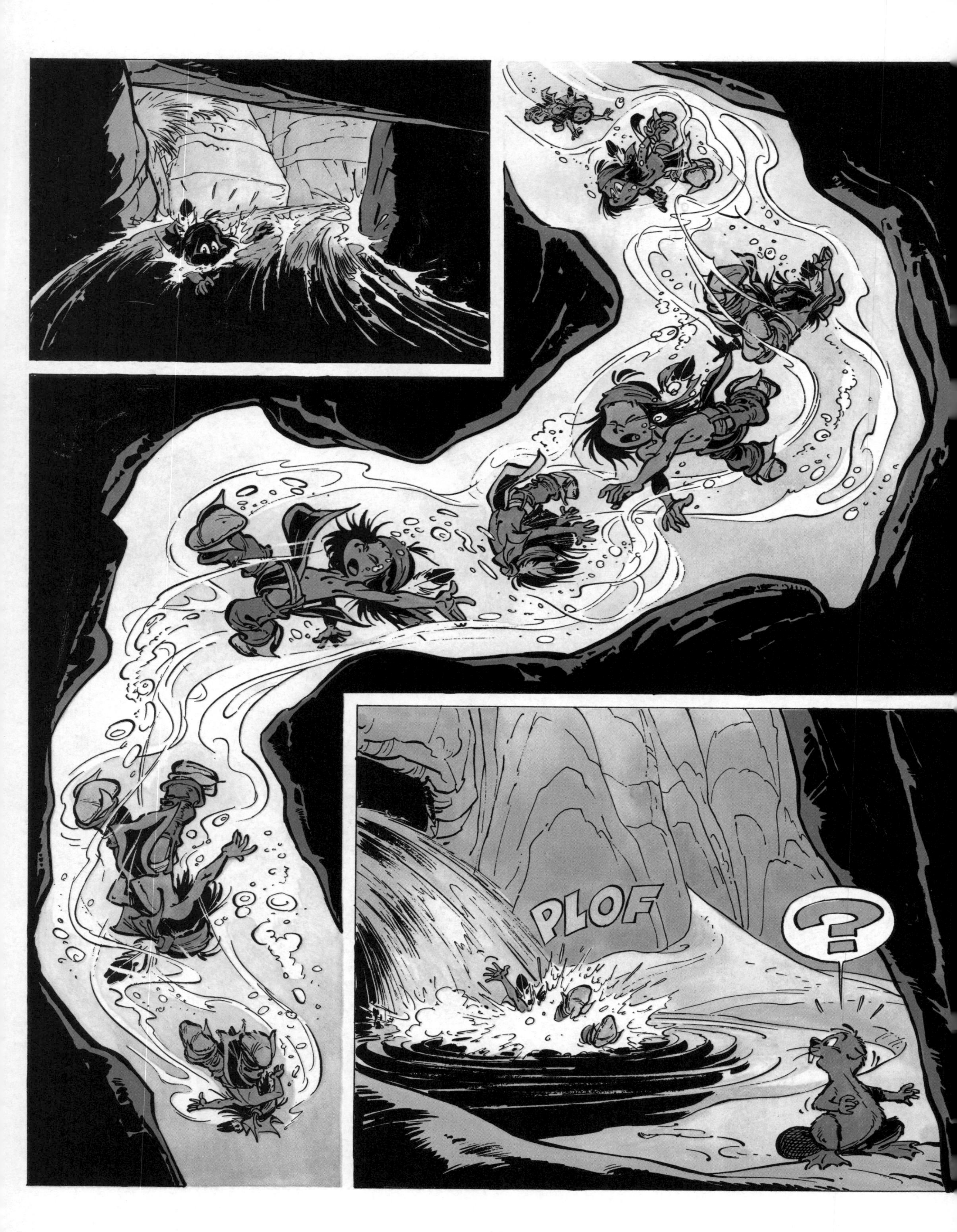
PLOF
?

TILLEUL !
YAKARI ! J'ÉTAIS SÛR QUE TU VIENDRAIS T'AMUSER AVEC MOI ...

S'AMUSER, C'EST BIEN BEAU ... MAIS COMMENT SORTIR DE CE TROU ?
J'AI DÉJÀ ESSAYÉ. IMPOSSIBLE !
IL NOUS FAUT DE L'AIDE !

YAKARI A AUSSI DISPARU ... J'AI PEUR ...
GRAND AIGLE N'A PAS PU SE TROMPER ?...

QUE SE PASSE-T-IL, PETIT TONNERRE ?

ARC-EN-CIEL ! PETIT TONNERRE !!

ON EST ICI !

TU AS RETROUVÉ TILLEUL !
LES VOILÀ !

VOUS N'ÊTES PAS BLESSÉS ?
NON, TOUT VA BIEN MAIS NOUS NE POUVONS PAS NOUS EN SORTIR TOUT SEULS ...

PETIT TONNERRE, COURS CHERCHER RUDE ÉCORCE ET MILLE-GUEULES ! ILS NE DOIVENT PLUS ÊTRE LOIN, MAINTENANT.
AH ! PAPA EST DANS LES PARAGES ?

MILLE-GUEULES ET RUDE ÉCORCE EURENT VITE FAIT D'EXÉCUTER LE PLAN DE SAUVETAGE IMAGINÉ PAR YAKARI...

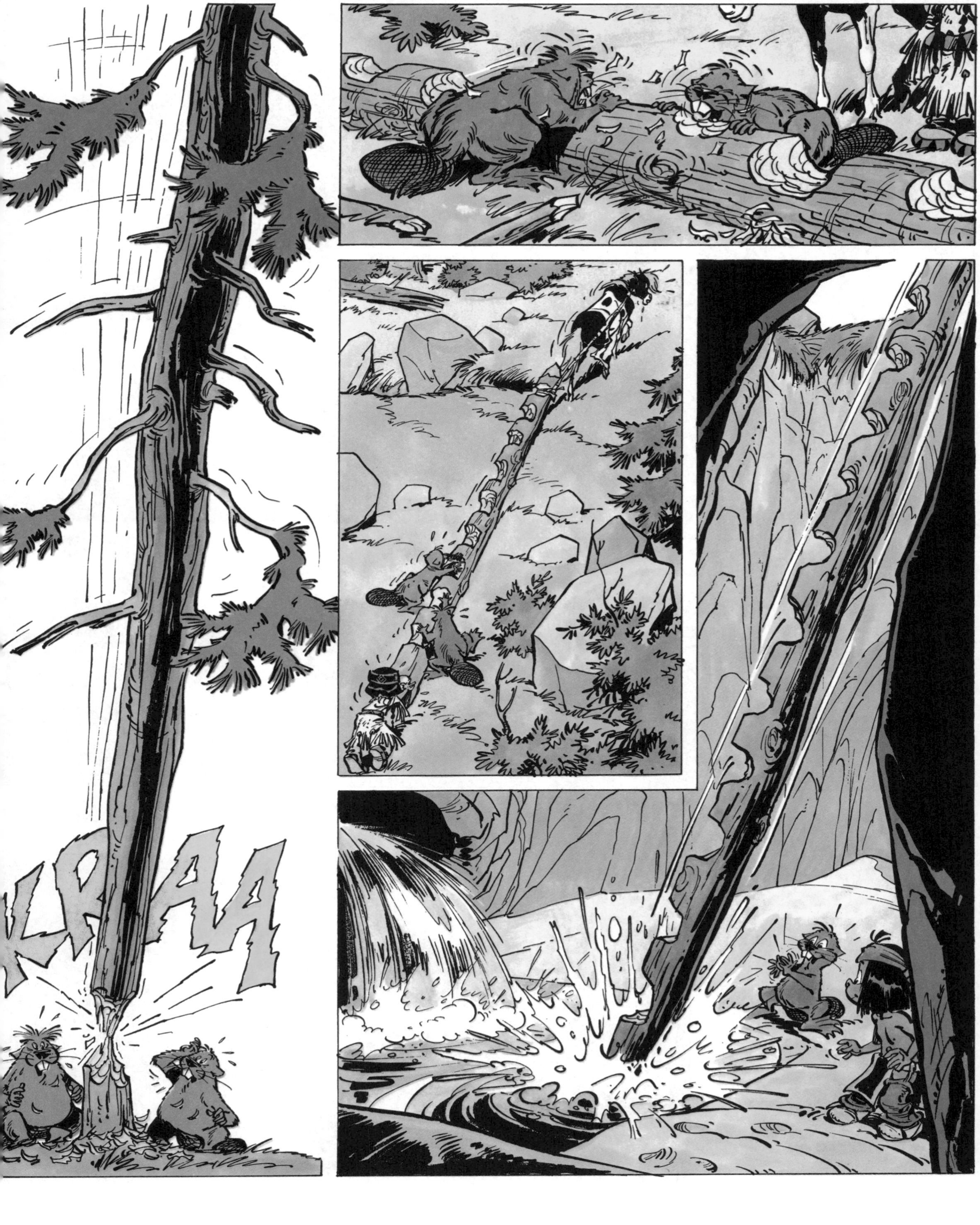

KRAA

PAPA, JE NE ME SUIS JAMAIS AUTANT AMUSÉ DE MA VIE !

J'AI BIEN ENVIE DE RECOMMENCER ! TU VIENS, YAKARI ?
!?

TILLEUL !
?

PAF PAF PAF PAF PAF

JE ME SENS MIEUX.
ÇA NE M'ÉTAIT JAMAIS ARRIVÉ ...
IL FAUT UN COMMENCEMENT À TOUT, DANS LA VIE ...

ROSIER SAUVAGE ET TOUT LE PEUPLE DES CASTORS FURENT HEUREUX DE RETROUVER TILLEUL SAIN ET SAUF...
... REVENEZ DANS TROIS JOURS. TOUT SERA TERMINÉ. NOUS INAUGURERONS ALORS NOTRE VILLAGE LACUSTRE...
ET NOUS POURRONS ENFIN DÉGUSTER ENSEMBLE L'ÉCORCE DE BOULEAU !
BOOOOOM
QU'EST-CE QUE C'EST ?
UN TREMBLEMENT DE TERRE ?
LE TONNERRE ?
ON ... ON M'A APPELÉ ?
SOYEZ SANS CRAINTE... C'EST SÛREMENT DOUBLE-DENT !
QU'EST-CE QU'IL NOUS PRÉPARE ENCORE, CELUI-LÀ ?
ET MAINTENANT... AU TRAVAIL !

LE LENDEMAIN ...

LE SURLENDEMAIN ...

TROIS JOURS PLUS TARD ...

COURAGE!
HUE, PETIT TONNERRE !
ALLONS-Y!
OUF! ON Y EST ARRIVÉ !
YAKARI DEVRAIT DÉJÀ ÊTRE LÀ...
REGARDE, MAMAN !
?!
EXTRAORDINAIRE!
FORMIDABLE!

ET C'EST AUTOUR DU MONUMENT ÉLEVÉ À LA GLOIRE DES CASTORS QUE LA FÊTE COMMENÇA ...

FIN